– HANNENORAK –
ET LES RÊVES

– HANNENORAK –
ET LES RÊVES

– JEAN SIOUI –
ILLUSTRATIONS DE MANON SIOUI

Éditions
HANNENØRAK

Catalogage avant publication de Bibliothèque et Archives nationales
du Québec et Bibliothèque et Archives Canada

Sioui, Jean, 1948-

Hannenorak et les rêves

Pour enfants de 7 ans et plus.

ISBN 978-2-923926-22-3

I. Sioui, Manon. II. Titre.

PS8587.I595H353 2018   jC843'.54   C2017-940690-6
PS9587.I595H353 2018

Éditions Hannenorak
24, rue Chef Ovide-Sioui
Wendake (Québec) G0A 4V0
Téléphone : 418 407-4578
editions@hannenorak.com
editions.hannenorak.com

Mise en pages et maquette de la couverture : KX3 Communication inc.
Illustrations : Manon Sioui
Direction littéraire : Sylvie Nicolas
Révision du wendat : Arakwa Sioüï
Révision : Cassandre Sioui

Les Éditions Hannenorak tiennent à remercier le Conseil des arts du Canada
et la Société de développement des entreprises culturelles (SODEC) de leur soutien financier.

Dépôt légal : 3e trimestre 2018
Bibliothèque et Archives nationales du Québec
Bibliothèque et Archives Canada
ISBN 978-2-923926-22-3

Distribution au Canada :

Diffusion Dimedia
539, boul. Lebeau
Ville St-Laurent (Québec) H4N 1S2
Téléphone : 514 336-3941
Télécopieur : 514 331-3916
www.dimedia.com

KWE !

Au village, Chaman-dake, le vieux sage, est mon guide. Il m'enseigne à appliquer les valeurs ancestrales de mon peuple. Il dit que les grandes personnes ne voient pas la vie comme les enfants la voient. Leur monde est virtuel, enfoui sous un tas d'ordinateurs. Il dit aussi que les adultes sont trop occupés pour rêver. Nous, les enfants, vivons dans un univers mystérieux : un monde de rêves et d'histoires invraisemblables.

Je m'appelle Hannenorak et j'ai dix ans. Les animaux, les arbres, les roches, tout autour de moi m'amène au rêve. Sous mon lit, je garde un panier de frêne rempli de drôles de rêves. Tu trouves peut-être cela bizarre de cacher des rêves dans un panier sous son lit, mais c'est que mes rêves dorment.

Ils s'éveillent dès que je soulève le couvercle du panier. J'en sors un pour le rêver une millième fois. Ce sont des rêves aussi vrais que les lutins qui picorent comme des oiseaux dans le jardin de ma mère. Des rêves fantastiques comme ceux des films de Walt Disney. Des rêves à conter autour d'un feu de camp. Des rêves pour bercer les enfants. Des rêves à dormir debout. C'est bien connu, les Wendat rêvent beaucoup. Les songes et les rêves éveillés marquent la vie des gens de ma nation.

Dans ce livre, je te raconte quelques-uns de mes rêves les plus fous. Des rêves qui reviennent de génération en génération. Mes histoires t'amuseront, enfant d'un monde merveilleux où la magie de la nature parle de choses étranges écrites dans des mots multicolores, des mots de plusieurs langues, des mots en wendat que tu pourras enseigner à tes parents. J'ai rêvé chacune de ces histoires au jour inscrit dans ma langue : ahsenh tëndih teskare' (12), ahsenh skat iskare' (11), ahsenh (10), en'tron' (9), a'tere' (8), tsoutare' (7), wahia' (6), wihch (5), ndahk (4), ahchienhk (3), tëndih (2), skat (1). Tu sais maintenant compter en wendat. Répète ces chiffres chaque soir avant de t'endormir. Ces nombres vieux comme mon peuple vont te rappeler que les rêves traversent le temps.

Allez, entre sans frapper dans ma chambre, ouvre le livre comme si tu ouvrais mon panier de frêne et découvre le monde de mes rêves.

Bonne lecture, mon ami !

Bonjour : kwe

Toi et moi sommes amis : onyiwatenro'

Un beau rêve : yatra'skhwahchïio'

AHSENH TËNDIH TESKARE' (12) FÉVRIER
Le pic-bois

Mon rêve de la nuit dernière est bien amusant. Un pic-bois est venu me parler. Il m'a dit :

— J'ai six ans et je m'appelle Picolo. J'ai passé les cinq premières années de ma vie à me cogner le nez sur le même arbre derrière ta maison. Au grand désarroi de ton père qui trouve, avec raison, que je commence mon manège trop tôt le matin et que je m'arrête un peu tard le soir. Voilà qu'à mon dernier anniversaire, j'ai reçu un livre d'aventures. C'est un livre fabuleux. Il raconte des histoires de lacs, de forêts, de poissons, d'animaux, enfin des histoires de la flore et la faune canadiennes. Il y a aussi des aventures de jeunes enfants de toutes les nations qui font bien d'autres choses que de piquer un arbre à journée longue pour s'endurcir le nez. Grâce à la lecture de ce livre, je suis devenu un pic-bois bien différent qui explore le monde pour vivre des aventures comme celles racontées dans mon fabuleux livre. Maintenant, je pique mon nez dans tous les livres que je peux trouver. Mon nez a fini par devenir aussi mou qu'une guenille. Ma tête, elle, est pleine de belles images.

Au matin, je me suis réveillé en me touchant le nez, que je trouve à demi mou et à demi dur.

Moi, Chaman-dake, je suis certain qu'une tête dure nous éloigne souvent des bonnes solutions. Toi, onyiwatenro', peux-tu admettre tes torts quand un conflit survient avec tes amis ?

Poisson : yentsonh

Maison : yänonhchia'

Le nez : yayon'ndia'

AHSENH SKAT ISKARE' (11) JANVIER

Un petit oiseau

C'est l'hiver et il fait très froid dehors. Je suis au lit bien enroulé dans une couverture chaude et je rêve déjà à l'été. Au plus profond de mon rêve, j'entends frapper à la fenêtre de ma chambre. Je tire le rideau et vois un petit oiseau qui bat des ailes en faisant du surplace. Ses ailes battent si vite qu'elles finissent par m'étourdir. De plus, il parle ! Il parle très vite à travers la vitre.

— Je suis Colibri. J'aime l'eau sucrée et les petits enfants. Les ornithologues disent que mes ailes portent les battements de cœur du monde entier. Ils disent que mon esprit se promène au rythme du vent. Moi, je dis que je trouve la vie tout simplement très belle. C'est pourquoi je suis tellement excité. Je crois que la chaleur du cœur peut réchauffer les plus grands froids de l'hiver.

Et pouf! Il est reparti aussi vite qu'une fusée. Je ne peux pas comprendre pourquoi un colibri passe l'hiver à Québec plutôt que dans un pays chaud, comme le font la plupart des oiseaux.

Au matin, j'ai mis ma tuque et mes mitaines et je suis sorti jouer avec mes amis. L'été viendra bien assez vite.

Moi, Chaman-dake, je t'assure que le froid ravigote celui qui s'apitoie. Toi, onyiwatenro', sors-tu ta pelle pour aider ton père à déneiger l'entrée de la maison?

Le cœur : aweeiahchia'

Été : yayennha'

Neige : öndinienhta'

AHSENH (10) JUILLET

L'arbre qui rit

Ce soir-là, je me couche plutôt fatigué. J'ai passé la journée au zoo. Je rêve à une corneille qui passe son temps à se promener d'arbre en arbre. Elle s'appelle Noirceur et sa meilleure amie se nomme Rose. Rose est une brise sensible qui s'amuse à souffler dans les plumes noires de la grosse corneille. Noirceur aime voir la brise jouer dans les feuilles. Elle écoute les bruits de la forêt où elle habite. Un des arbres est plus ricaneux que tous les autres et ses amis le surnomment Fou-Rire. Quand Noirceur s'envole au-dessus de la cime des arbres, elle entend souvent Rose faire craquer les branches. Mais, bizarrement, c'est Fou-Rire qui réagit le plus.

En effet, Fou-Rire, un grand bouleau blanc, a appris à rire. Il rit aux quatre vents. C'est qu'il est vraiment chatouilleux. Il a l'écorce mince. Quand Rose vient le visiter, il bouge ses feuilles dans tous les sens. Ses feuilles savent qu'il est bien sensible. Alors, elles lui jouent dans les cheveux. Glissent le long de ses bras. Flattent son menton. Elles dansent et dansent au gré du vent. Elles jouent et chantent :

— Fou-Rire, tu es bien nerveux ! Fou-Rire, tu as la chair de poule ! Fou-Rire, tu ris à t'en tordre le tronc !

Puis, quand Rose se couche, les feuilles s'endorment dans les bras de l'arbre. Fou-Rire est heureux, il a bien ri toute la journée.

Je me suis éveillé le lendemain au croassement d'une grosse corneille nichée sur le poteau de la corde à linge.

Moi, Chaman-dake, je dis que s'éveiller au son d'une corneille qui croasse sur le poteau de la corde à linge, ça aide à bien démarrer la journée. Toi, onyiwatenro', peux-tu commencer ta journée gaiement avant de partir pour l'école ?

Arbre : yaronta'

Nuit : ahsonta'

Noir : yatsihenhstatsih

ENTRON' (9) NOVEMBRE

Un lièvre romantique

J e m'imagine souvent vivre dans la peau d'un animal. Dans un rêve à dormir debout, je m'appelle Chantaufeuille et suis un lièvre romantique. J'aime bien l'automne quand les forêts affichent leurs plus belles couleurs. Je passe mes journées à m'émerveiller devant le spectacle de la saison automnale.

J'ai une amie qui change de couleur. Une grosse feuille d'érable dont les joues rougissent juste avant l'hiver. Claire-de-Lune est mon amie feuille d'érable. Sirop qu'elle est belle au bout de sa branche ! Mais Claire-de-Lune, on ne le savait pas, est bien gênée. Un bon jour, dans un léger frisson, Automne se présente à elle. Claire-de-Lune rougit d'un coup, comme ma petite sœur le soir où mon ami d'école lui a offert un bouquet de marguerites. Automne n'est pourtant pas si impressionnant que ça. Le vent dans les cheveux, il a toujours l'air ébouriffé. Avec son air sérieux, il traîne sous la pluie, se couche tôt et paraît un petit peu froid.

Claire-de-Lune entend parler de lui depuis longtemps. Elle sait qu'il courtise les feuilles et qu'il leur offre toutes sortes de belles robes multicolores. Pour Claire-de-Lune, Automne est le grand peintre de la nature. Elle a déjà vu ses tableaux exposés sur les murs de la bibliothèque de sa forêt. Mais voilà qu'Automne jette son dévolu sur Claire-de-Lune. Elle devient la dernière feuille à tomber de l'arbre.

À mon réveil, je me suis rappelé que quand les feuilles rougissent, il faut s'attendre à des temps plus froids. L'automne se prépare à regagner ses quartiers d'hiver et dans quelques mois, il fera un froid à geler debout. On grelottera tout l'hiver si on n'a pas une fourrure épaisse comme celle de Chantaufeuille, le lièvre romantique. Il faudra au moins mettre une bonne paire de mitaines doublées de fourrure.

Moi, Chaman-dake, j'ai appris qu'un peu de romantisme réchauffe un cœur froid. Toi, onyiwatenro', peux-tu t'ébahir devant une première jonquille qui perce la neige ?

Automne : yänenda'ye

Feuille : yänrahta'

Érable : wahta'

A'TERE' (8) AVRIL

Un petit ruisseau

Le long et dur hiver nous quitte à peine que je m'émerveille déjà de la nature qui renaît. J'accueille le début du printemps, couvert d'un moelleux chandail de laine. Je viens de remiser ma tuque au grenier. Dans un rêve de la nuit dernière, je suis un brin d'herbe qui vogue sur l'eau. Je me laisse conduire d'un ruisseau à l'autre jusqu'aux plus grosses rivières. Je bois aux cascades. Je me bouche les oreilles au pied des chutes qui grondent furieusement. Puis, je croise Filet-d'Eau.

Filet-d'Eau est un bien petit ruisseau qui veut découvrir le monde. Il rêve de voyages. Un bon matin, il part seul sans carte ni boussole pour un monde inconnu. Son but est de se laisser couler sur le dos en humant çà et là l'odeur des fleurs.

Il descend son cours. Rencontre une mignonne libellule qu'il salue d'un clin d'œil. Fait des grimaces aux grenouilles. Caresse le ventre rond des cailloux. Ce sera, pense-t-il, toujours ainsi dans sa nouvelle vie. Les premiers jours, tout se passe bien sur sa route. Filet-d'Eau, insouciant, roucoule et se laisse conduire dans le courant de ses jours heureux.

Arrive soudain une journée grise. Il entend un bruit sourd qui le sort de ses rêves et le fait se retourner sur le ventre. À quelque trois détours de l'endroit où il se trouve, une rivière le guette : la Grande. Elle crie d'une voix rauque et effrayante pour les oreilles du petit ruisseau. Filet-d'Eau a le défaut d'être trop curieux pour sa taille. Il s'approche de cette cacophonie de cris en fermant les yeux. Trop vite, le ruisseau tombe dans une rivière. Les flots le malmènent, il roule sur lui-même, avale de gros bouillons et se cogne la tête sur les roches. Il finit par dégringoler en bas de ce qui semble être un mur. Une chute déchaînée le secoue et le repousse toujours plus bas, à au moins cent kilomètres à l'heure. Pour Filet-d'Eau, il n'est plus possible de revenir en arrière. Jamais il ne reverra le paysage de la forêt de sa naissance. Après des années et des années à tremper dans la mer, il comprend que son voyage n'aura plus de fin. Ses parents l'avaient pourtant bien avisé d'éviter de s'éloigner…

Après le rêve, au petit matin, j'ai couru à la chambre de mes parents pour les embrasser.

 Moi, Chaman-dake, je dis qu'il faut être prudent quand on ne connaît pas bien sa route. Toi, onyiwatenro', demandes-tu conseil quand tu ne sais pas trop où aller ?

Hiver : ohcha'

Printemps : yayenra'

Fleur : otsi'tsa'

TSOUTARE' (7) JUIN

La danse du soleil

J'aime me faire chauffer au soleil. Mais, comme pour toi, mes yeux pleurent quand un rayon de soleil s'amuse à danser sur l'eau. Il brille de tous ses feux et transforme l'eau en mille petites pépites d'or. Il n'y a rien de plus féerique que le reflet du soleil sur une belle vague qui se laisse caresser.

Cette nuit, j'ai fait un rêve de soleil. Un soleil qui scintille de tous ses rayons. Rayon-Danseur, un jeune rayon né de la saison, se prend pour un artiste. Dans ce rêve, Rayon-Danseur danse sous la musique d'anciennes gigues du patrimoine céleste. Sa piste de danse est une longue vague, une belle vague coiffée de coquillages qui s'étire sur « le fleuve aux grandes eaux », comme l'appelle grand-père. Tous les jours ensoleillés, le spectacle de danse du jeune rayon fait salle comble. Il est la vedette de l'été. Les bateaux de passage, les pêcheurs, les baigneurs, les poissons, les goélands, enfin tous les visiteurs du fleuve s'arrêtent. Le temps d'une marée, certains s'assoient sur une roche, un billot rejeté par la mer ou le long d'un port pour admirer Rayon-Danseur sur la vague qui n'en finit plus de s'allonger. La prestation commence dès la tombée du jour, quand le soleil se prépare à aller au lit. L'heure où le ciel revêt ses plus belles couleurs pour dire bonsoir. Puis, quand la noirceur tombe, le rideau se ferme. Tous rentrent à la maison. La tête pleine de lumière scintillante, les spectateurs s'endorment en chantonnant.

Les plus beaux spectacles sont ceux de Terre-Mère. J'aime me promener sur la plage par les beaux soirs d'été. Je m'assois souvent sur une vieille souche pour contempler les merveilles de la nature. Je m'amuse à glisser mes doigts dans des fougères qui dorment sur la rive, à quelques pas de l'eau. Je reviens alors à la maison avec un goût de sel sur les mains, pour garder un souvenir de ma journée.

Moi, Chaman-dake, je sais que les plus belles danses sont celles des vagues sur le fleuve. Toi, onyiwatenro', est-ce que tu montres ta joie après une belle journée sous le soleil ?

Soleil : wenta'ye yändicha'

Feu : yatsihsta'

Eau : awen'

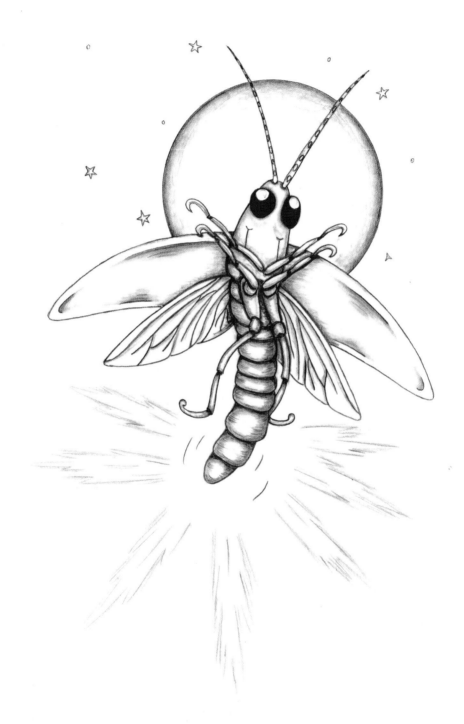

WAHIA' (6) OCTOBRE

La visiteuse d'étoiles

C'est la fin de l'été et je suis un peu nostalgique. Avant d'aller au lit, j'aperçois sur la pelouse, devant la maison, une luciole qui s'éteindra bientôt pour l'hiver. Je me couche songeur comme jamais. À peine endormi, je rêve d'une petite luciole qui vole jusqu'aux étoiles, tous les soirs de pleine lune. Elle s'appelle Lucie. Elle aime visiter une étoile différente des autres : Petite-Fée, une petite étoile qui n'a que trois bras.

Une nuit de tempête, le ciel grondait et les éclairs fusaient de partout. Petite-Fée grelottait sous la pluie. Un éclair a alors attaqué Petite-Fée qui ne savait pas se défendre. C'est ainsi qu'un de ses quatre bras a été coupé par l'éclair. Les autres étoiles n'ont pas hésité à se moquer d'elle. Toutes les nuits, Petite-Fée pleurait dans son coin de ciel. Seule Lucie réussissait à la réconforter un peu. Marie-Lune, cette grand-mère à la corne de bonbons, s'inquiétait et réfléchissait à un moyen de la consoler. Un bon matin, avant de se coucher et de laisser la place au soleil, elle a eu une idée brillante. Les nuits où elle ne serait pas pleine, Marie-Lune s'approcherait de Petite-Fée et installerait sa corne à la place du bras manquant. C'est ce qu'elle fait depuis ce temps. Elle s'agrippe à Petite-Fée et lui raconte des histoires pour la rendre heureuse.

Si vous regardez bien, le soir avant de vous endormir, vous verrez Petite-Fée et Marie-Lune côte à côte. Toutes les autres étoiles qui se moquaient d'elle autrefois se tiennent tendrement tout autour pour entendre les récits de Marie-Lune. Lucie la luciole ne manque pas une occasion. Elle vole là-haut dans le ciel pour écouter, à bout de souffle, les histoires que Marie-Lune raconte à la petite étoile aux trois bras. Quand la pleine lune arrive et que la corne disparaît, c'est Lucie qui chante des chansons à Petite-Fée.

Moi, Chaman-dake, je scrute le ciel pour voir Petite-Fée. Une parole de gentillesse arrive à soigner bien des petits malheurs. Toi, onyiwatenro', est-ce qu'il t'arrive, à l'occasion, de t'approcher d'un ami un peu seul pour le consoler ?

Le bras : yahiahchia'

Ciel : yaronhia'

Lit : yändaata'

WIHCH (5) AOÛT

Les vers du lac

Cette nuit-là, je rêve que je reçois une lettre. Dans cette lettre, Gaspard, le canard, m'écrit qu'il passe une grande partie de ses journées à survoler les lacs pour voir le ventre rouge des truites qui sautent hors de l'eau, en fin d'après-midi. C'est l'heure du repas et elles attrapent en sautillant les moustiques imprudents qui patinent sur les eaux du lac. Elles sont belles, les truites arc-en-ciel. D'élégantes gymnastes aux Olympiques du lac Huron.

Tutti, la truite, habite cet endroit. Tutti est insouciante et bien dérangeante pour le lac. Ontara', le lac, est un grand poète. Il passe ses journées à réfléchir. Il verse ses poèmes un peu partout sur la rive qui a pourtant autre chose à faire que de lire de la poésie, surtout quand grand-père Orignal vient planter ses grosses pattes dans la baie pour se rafraîchir et manger quelques algues. Ontara' vit vraiment dans son monde imaginaire. Il a toujours l'esprit ailleurs. Il surfe continuellement sur une vague d'inspiration et n'aime pas être dérangé quand il compose. Tutti le sait trop bien. C'est plus fort qu'elle, elle ne peut s'empêcher de taquiner le poète et de s'en moquer un peu. Dès que tout est bien calme, plouf! plouf!, elle saute hors de l'eau et replonge frivolement en pinçant le ventre du pauvre lac. Ontara' en perd ses mots. Tutti sort le nez de l'eau pour l'agacer et rit à s'en tenir les branchies.

Mais voilà qu'un jour, le lac crie vengeance. Il laisse monter du fond de ses eaux l'histoire d'une truite simplette qui ne sait que jouer et qui ne connaît que les vers du pêcheur. L'histoire a fait le tour du lac et a parcouru le territoire. Tutti en a été bien choquée et, depuis ce temps, elle suit des cours de littérature auprès de grand-père Orignal. Elle sait qu'il enseigne aux Wendat qui vont à la pêche. Les jeunes élèves apportent toujours au lac une boîte bien remplie de vers pour instruire le ventre des truites lettrées.

Moi, Chaman-dake, je pense que les enfants sont des poèmes de la nature. Toi, onyiwatenro', t'arrive-t-il d'écrire un poème pour ton père ?

Rouge : wenhta' ïohtih

Grand-père paternel : händihchia

Lac : ontara'

NDAHK (4) MAI

Une roche qui nage

Il y a vraiment de quoi surprendre quand on rêve d'une roche qui flotte sur le dos. Dans mon rêve, je m'appelle Yarahkwa' et je suis une gentille mésange du jardin des Wendat. Mes longs voyages dans le temps m'ont fait vivre des aventures incroyables. Je vole d'un arbre à l'autre. Les bouleaux disent que mes ailes portent l'amour d'enfants de tous les âges. Les feuilles me racontent des histoires frétillantes. La lune de mai prétend que mon esprit flotte au rythme du vent. Je connais tous les secrets des roches. Les gros rochers comme les tout petits cailloux sont mes amis.

Je connais la vie secrète de Pierre. Pierre est une roche de taille moyenne. Il a pour compagne Bianca, une petite algue brune bien collante et paresseuse.

Pierre n'est pas ordinaire. Toutes les familles de roches savent bien qu'une roche ne peut pas flotter sur l'eau. Sauf Pierre, qui a la tête dure. Un dimanche matin, pendant que toutes les roches déjeunent, Pierre se jette à l'eau dans le fleuve Saint-Laurent. Après avoir avalé de nombreux bouillons, et subi les moqueries des mouettes qui s'empiffrent des restes d'un sandwich tombé la veille d'un panier à pique-nique, Pierre se met à flotter sur le dos. Les marées le poussent d'une rive à une autre. Pierre flotte de village en village. Heureux, il décide que sa vie sera un long voyage. Seul, en paix, sans personne pour lui casser la tête.

Un après-midi ensoleillé, à Québec, aux abords de la promenade Samuel-De Champlain, une intruse, une petite algue, lui saute sur le ventre.

— Bonjour monsieur, je suis Bianca. J'ai voyagé à travers le monde et je suis maintenant bien fatiguée. J'en ai assez de me cogner les côtes de port en port. Un jour sur du bois flottant, un autre sur le coin d'un quai que je n'avais pas vu. Je me suis même déjà enroulée autour d'une ligne de pêcheur, au bout de laquelle une idiote de sangsue m'a souri ! Je suis à bout et je veux passer le reste de mes jours à flâner paisiblement. Ce sera toi, mon prochain ami. Je te tiendrai compagnie et te ferai la conversation.

Sans attendre de réponse, elle se met à parler. Elle parle sans arrêt. Elle jacasse de tout et de rien. Pierre a un mal de bloc épouvantable. Sa tête veut éclater.

—Tais-toi, tais-toi ! Tu vas me rendre fou. Je veux vivre en ermite, tu ne peux pas t'agripper à moi. Va-t'en au plus vite ! Laisse-moi seul. Je n'ai pas besoin d'une amie.

L'algue se met à pleurer. Elle pleure et pleure. Ses larmes font monter un peu l'eau du fleuve. Pierre prétend être un dur de dur, mais il a plutôt le cœur tendre. Les pleurs de Bianca finissent par l'émouvoir.

— OK ! OK ! D'accord ! Mais à une condition : tu ne parleras que les jours de pluie. Quand il fera soleil, tu te tairas.

C'est ainsi que la petite algue brune vécut dix mille ans sur le ventre de la roche qui savait flotter. Bianca n'a pas toujours tenu sa promesse.

Parfois, elle parlait sans arrêt sous un soleil brûlant. Pierre s'y est habitué et il lui est même souvent arrivé de s'ennuyer du bavardage de celle qui est devenue sa meilleure amie.

Moi, Chaman-dake, je comprends que décidément, la vie est pleine de surprises ! Une roche taciturne et une algue bavarde qui deviennent amies. Mais toi, onyiwatenro', aimes-tu te faire de nouveaux amis, garçons ou filles, même s'ils sont différents de toi ?

Rayon de soleil : yarahkwa'

Roche : yarënda'

Village : yändata'

AHCHIENHK (3) NOVEMBRE

Assis dans un nid

C'est un rêve vraiment bizarre. Je suis assis dans un immense nid, près d'une caverne, sur la plus haute montagne des Appalaches. De là, je peux voir toutes les collines. J'aperçois une petite colline qui grandit trop vite.

Maman Montagne est bien fière. À ses pieds, Petite-Colline grandit et grandit d'au moins trois têtes de sapin chaque année. Tellement qu'un jour, maman Montagne s'inquiète. Petite-Colline grandit vraiment trop vite. Ce n'est pas normal. Habituellement, une colline prend cent cinquante mille ans avant d'atteindre sa hauteur normale. Mais déjà à l'âge de cent ans, Petite-Colline atteint presque la moitié de sa hauteur maximale. Maman Montagne appelle docteur Ours, le médecin des

Appalaches. Ours ausculte la colline, la tâte, la fait tousser, la pèse, la mesure plus d'une fois.

— Votre bébé est une géante, dit docteur Ours. Bientôt, elle vous dépassera.

Maman Montagne tombe sur ses genoux. Jamais elle n'aurait imaginé que Petite-Colline deviendrait le plus haut pic des montagnes du Canada. Elle s'interroge. Combien de sapins, d'épinettes et de pins lui faudra-t-il plus tard pour vêtir son enfant? Elle doit réagir au plus vite. Maman Montagne entreprend de semer des graines d'arbres partout sur le gros ventre de sa petite. Après dix ans, il y a tant de pousses que maman Montagne cesse de s'inquiéter. Elle sait maintenant que lorsque Petite-Colline sera devenue géante, elle aura assez de conifères pour se couvrir.

Depuis ce jour, maman Montagne répète ces mots aux Wendat:

— Il ne faut pas vous inquiéter. Si votre peuple nourrit Terre-Mère, elle vous procurera le nécessaire à votre survie.

L'après-midi de mon rêve, j'ai demandé à mon grand frère de venir avec moi faire un tour au pied de la montagne, là où on a l'habitude d'aller cueillir des champignons sauvages.

Moi, Chaman-dake, j'ai vu de bien grandes choses en ce monde. Toi, onyiwatenro', comment imagines-tu ta vie quand tu seras plus grand?

Montagne : önonta'

Ours : yänionnyen'

Pin : ahndehta'

TËNDIH (2) MARS

Un bleuet qui pleure

Dans la journée, j'ai mangé beaucoup de bleuets achetés chez le marchand de fruits et légumes. J'ai eu du mal à m'endormir au coucher parce que j'avais un peu mal au ventre. J'ai quand même rêvé. Un rêve à demi éveillé, puisque j'étais un peu agité. Dans ce rêve, je m'empiffre de bleuets sauvages. Je choisis les plus gros. Ceux qui noircissent avant de sécher. Dans le champ derrière le camp du trappeur, un ami de mon père, je trouve un bleuet sauvage qui n'arrive pas à noircir.

Fin août et début septembre sont les bons moments pour les bleuets. Si vous vous promenez dans les bois à cette période, vous pourrez certainement rencontrer des femmes wendat avec leurs jeunes enfants. Ces femmes, paniers de frêne à la main, ramassent de gros bleuets juteux pour en faire des tartes qui durent à peine le temps d'un repas. Les bleuets connaissent la durée de leur vie. Chaque saison, ils naissent sous forme de petits boutons verts. Plus tard, ils rougissent un peu au soleil et peu après, ils tournent au beau bleu ciel. Enfin, ils foncent encore plus et deviennent presque noirs. C'est là qu'ils sont les meilleurs.

Mais quelle tristesse pour Ohenhtayet, un bleuet parmi tant d'autres et de la même taille que ses cousins, quand il s'aperçoit que la saison avance et qu'il n'arrive pas à virer au noir ! Chaque soir, il pleure quelques gouttes de jus de bleuet.

— Je ne parviendrai jamais à devenir noir comme tous les autres bleuets de la clairière, se dit-il.

Été, qui l'entend se plaindre, le prend en pitié. Cette année-là, Été s'étira et dura un mois de plus, juste ce qu'il fallait pour qu'Ohenhtayet devienne noir comme les autres. Et même qu'il fut le plus juteux de tous les bleuets de la saison.

Le lendemain matin, j'ai donné un bisou sur la joue de ma petite sœur qui a de beaux grands yeux noirs comme de gros bleuets sauvages. Elle est, comme toi, belle à croquer.

Moi, Chaman-dake, je comprends qu'avec un peu de patience, on arrive toujours à ses fins. Toi, onyiwatenro', tu grandis tellement vite ! S'il te manque quelques centimètres pour avoir la permission de monter à bord d'un manège à la foire, attends-tu sans rechigner l'année suivante pour être assez grand ?

Père : ha'isten'

Champ : ehta'

Bleu : yaronhia' ïohtih

SKAT (1) SEPTEMBRE

La fougère généreuse

L'été s'en va tranquillement et il commence à faire plus frais. Les soirées sont frisquettes et il fait bon de mettre un gilet de laine. C'est pourquoi m'est revenu ce rêve. Quand je fais une promenade en forêt, je m'arrête souvent près d'une souche pour reprendre mon souffle. Parfois, je m'assois dos à la souche et je m'assoupis. C'est ce qu'on appelle un rêve éveillé. La souche est le personnage de mon rêve.

Dans la forêt des Laurentides, il y a Dormeuse, une vieille souche toute croche qui dort vingt-trois heures et demie par jour. Il y a dans cette même forêt Ombrelle, une fougère itinérante qui a établi ses quartiers là où l'on déboise pour faire du bois de construction. Si la fougère est itinérante,

c'est que sa famille a été piétinée par des machines chaussées de roues gigantesques. Des monstres qui coupent les arbres sans regarder devant eux. Ils roulent à travers les habitats d'une faune et d'une flore qui ne savent pas se défendre. Ombrelle n'a d'autres choix que de déguerpir pour se trouver un endroit sûr où elle pourra vivre sa peine.

Un bon soir, au gré de sa fuite, elle rencontre Dormeuse, la souche à demi endormie sur ses racines. La souche, vieille et ridée, grelotte de tout son tronc. Dans les bois, les nuits sont froides. La souche est quand même un peu frileuse. C'est sans attendre l'accord de Dormeuse qu'Ombrelle s'installe à ses côtés. Elle lui propose de la couvrir pour la réchauffer. La fougère itinérante sait que la vieille souche en a bien besoin tous ces soirs quand le soleil s'éteint et que la lune ne suffit pas à chauffer la terre. Dormeuse sourit entre ses longues racines ratatinées.

À demi éveillé, je me suis retourné dans mon lit et j'ai tiré les couvertures. Un léger frisson m'a caressé la nuque et m'a sorti de mon rêve.

Moi, Chaman-dake, je m'efforce de regarder autour de moi pour comprendre que certaines personnes peuvent avoir le cœur glacé. Toi, onyiwatenro', peux-tu réconforter un ami en manque d'affection et qui aurait besoin de ta chaleur humaine ?

La famille : yahwatsira'

Forêt : yarha'

Monde, terre : onhwentsa'

FAIS DE BEAUX RÊVES...

Achevé d'imprimer en septembre 2018
sur les presses de Marquis Imprimeur
à Montmagny (Québec, Canada)
pour le compte des Éditions Hannenorak